CW01020414

DESTINO INFANTIL Y JUVENIL, 2020
infoinfantilyjuvenil@planeta.es
www.planetadelibrosinfantilyjuvenil.com
www.planetadelibros.com
Editado por Editorial Planeta, S. A.

© del texto: Pedro Mañas, 2020
© de las ilustraciones: David Sierra Listón, 2020
Diseño y maquetación: Endoradisseny
© Editorial Planeta, S. A., 2020
Avda. Diagonal, 662-664, 08034 Barcelona
Primera edición: febrero de 2020
Sexta impresión: julio de 2020
ISBN: 978-84-08-22323-8
Depósito legal: B. 285-2020
Impreso en España – *Printed in Spain*

El Club de la Luna Llena

¿Me guardas un secreto?

Ah, ¡eres tú! Casi me matas del susto.

Cuando abriste el libro pensé que se acercaba un cazador de brujas. Sería horrible si alguno llegase a descubrirme. ¡Guarda bien todos los secretos que voy revelarte!

Vale, sí, soy una bruja, pero no salgas pitando. No planeo lanzarte ningún hechizo. Además, por ahora solo soy una aprendiz. Y un poco torpe.

Como mucho, podría convertir este libro en una merluza. No sé qué pasa, que últimamente solo me salen merluzas. Unas frescas y otras rebozadas, pero todas asquerosas.

Aunque mi nombre es Anna Green, mis nuevos amigos me llaman… Anna Kadabra.

Y justo después añaden: «¡Está como una cabra!». Pues anda que ellos.

Desde que descubrí mi magia, también tengo algunos enemigos. Esos me llaman cosas incluso peores, pero no me las llaman a la cara porque podría… bueno, convertirlos en merluzas.

Mira, esa de ahí soy yo. Seguro que me imaginabas con capa negra, verrugas en la nariz

y botas puntiagudas, pero no. Si fuera por ahí con el uniforme oficial me pescarían enseguida. En vez de verrugas, tengo pecas. En vez de capa, llevo mallas de colores y faldas de tul.

Botas sí que uso, pero de baloncesto.

También tengo una varita personalizada, un cuaderno de hechizos y una mascota mágica.

Por último, llevo en el pecho una pequeña luna que brilla en la oscuridad. Es la insignia del Club de la Luna Llena, la sociedad secreta a la que pertenezco. Si eres valiente, tal vez algún día puedas unirte a nosotros.

En el Club de la Luna Llena solo existen tres normas. Las llamamos las Reglas de Diamante, porque son irrompibles. También podrían llamarse las Reglas de Turrón del Año Pasado, que es aún más difícil de romper. Son estas:

La primera es que nadie fuera del club debe conocer tus poderes.

O sea, ni tu abuela.

La segunda es que no puedes robar un hechizo a un compañero.

¡No a los chorizos de hechizos!

La tercera es que solo debes usar la magia para hacer el bien.

Ni se te ocurra hacer desaparecer tu cole.

Lo que vas a leer es la historia de cómo supe que era bruja… y de cómo rompí las reglas irrompibles. Ah, y de paso, de cómo casi me cargo un pueblo entero.

Jugando al escondite

Aquella mañana, mi casa parecía una casa de locos.

—¡No la encuentro por ningún lado! —oí gritar por el pasillo.

—¿Dónde se ha metido esa sinvergüenza? —escuché vocear en la cocina.

Sí, la sinvergüenza era yo. Ah, y los que aullaban eran mis padres.

Los dos me buscaban, pero no podían verme. No es que me hubiera vuelto invisible. De hecho, ni siquiera había descubierto aún mis poderes. Solo me había escondido bajo la cama. Y lo que es más importante: no pensaba salir de allí.

—¡Anna, mi vida! —chilló papá, cariñoso.

—¡Anna, caradura! —chilló mamá, enfadada.

Esos que ves ahí son mis padres. Vale, son solo sus pies. Es lo único que alcanzaba a ver desde mi escondrijo. Pero los pies también nos hablan de cómo son las personas. Si huelen mucho, además de hablar, cantan. En el gimnasio del cole parece que estén interpretando ópera.

Los pies número 1 son los de mi madre. Son pequeños como ella, y van metidos en dos tacones que hacen tanto ruido como ella. Trabaja en un banco y es muy nerviosa, tanto que a veces

Pequeños y ruidosos

Calcetines de rombos

Olor a rosas

Zapato negro cuervo

Zapato marrón boñiga

Grandes como salmones

se equivoca y se pone un zapato de cada color (pero eso díselo tú, si te atreves).

Los pies número 2 son los de mi padre. Son grandes pero silenciosos, como él. Trabaja como profesor, y es tranquilo y presumido. Por eso siempre encuentra tiempo para sacar brillo a sus zapatos. Lleva los calcetines tan estirados que parece que se los sujete con tornillos.

Aunque sus pies sean tan distintos, mis padres

tienen algo en común: les encanta hacer pasteles.

¡No, no los hacen con los pies! No nos gustan los pasteles con sabor a queso.

Mis padres tenían un sueño. Uno muy dulce. Soñaban con dejar sus trabajos y montar juntos una pastelería. Pero, cuando lo consiguieron, su sueño se convirtió en mi pesadilla.

¡Resulta que para abrir la pastelería querían que nos mudásemos!

—Debes comprenderlo, Anna —había dicho papá—. En la ciudad ya hay demasiadas tiendas. Pero mira, hemos encontrado el local perfecto…

—Está en un lugar precioso llamado Moonville —añadió mamá—. Parece un pueblo encantado, ¿sabes? Lleno de leyendas de magia y de brujas.

Por mí, como si estaba lleno de payasos y hamburguesas. En cualquier caso, yo no creía en

brujerías y no pensaba dejar mi casa, mi escuela y a mis amigos. Por eso había decidido meterme bajo la cama y quedarme allí para siempre.

Estaba bien preparada. Tenía conmigo montones de chucherías, libros, el cepillo de dientes, mi patinete y otras cosas útiles. Por ejemplo, media tonelada de pelusa y un calcetín viejo.

Vale, es que había olvidado barrer bajo la cama. Pero el calcetín apestaba tanto que podía usarlo para defenderme. Además, no estaba sola. Tenía a Cosmo.

Cosmo era un gato vagabundo que llevaba días viviendo en el vecindario. El nombre se lo había puesto yo. Aunque no pertenecía a nadie, entraba y salía a su gusto de todas las casas. Tenía los ojos amarillos, las orejas picudas y el pelo gris.

Solo la punta de su cola era negra, como si la hubiera metido en una chimenea.

Pues, a pesar de lo genial que era, mis padres no me dejaban llevarlo conmigo.

—¡Anna, sal ya! —oí a mi madre—. ¡Tenemos que llegar a Moonville antes de que anochezca!

«Y un jamón», pensé. En su lugar, me encogí un poco más y me puse a acariciar las orejas del gato. Él, en cambio, se puso a maullar a todo volumen. Todo lo que tenía de bonito lo tenía de tonto.

—¿Te parece momento de conciertos de rock? —le susurré con voz apremiante—. ¡Que nos van a pillar!

—Miau —repitió el gato—. ¡Miau, marramiau!

Al instante, la cabeza de mamá se asomó bajo la colcha.

—¿Qué haces ahí? —gruñó—. Y otra vez con ese bicho. ¡Te dije que no lo quería en casa!

Asustado, Cosmo escapó de mis manos y saltó por la ventana abierta.

Yo intenté refugiarme en un rincón, pero mamá me cogió de las botas y tiró de mí. En menos de un minuto, me había arrastrado al coche cargado de maletas.

¡Bam!, ¡bam!, ¡bam!, ¡bam!

Las cuatro puertas se cerraron y mamá pisó
el acelerador.

—¡Cosmo! —grité inútilmente por la
ventanilla.

—Venga —dijo papá—. Olvida al gato y cantemos. ¡Un elefante se balanceaba sobre…!

Lo miré con los ojos echando chispas. Y él se quedó tan chafado como si el elefante de la canción le hubiese caído encima. Ahora ya no estaba enfadada. Estaba furiosa.

Entonces, de pronto, oí un suave sonido a mis pies. Algo así como un tímido ronroneo.

¡Allí abajo estaba Cosmo, enroscado en mi zapatilla!

Rápidamente, lo cogí y lo oculté en mi cartera. Al hacerlo me pareció que me guiñaba un ojo.

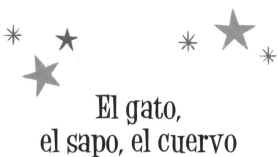

El gato,
el sapo, el cuervo
y el murciélago

Me propuse no dormirme para vigilar a Cosmo.

Pues a los diez minutos ya me había quedado frita. Los viajes en coche están en la lista de cosas que más sueño me dan:

Lista de «Cosas que me dan sueño»

4. Los viajes en coche.

3. Que me toquen el pelo.

2. Cuando mis padres hablan de dinero.

1. Que me toquen el pelo en el coche mientras mis padres hablan de dinero.

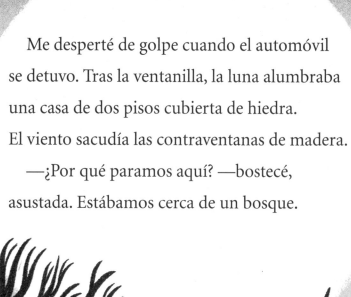

Me desperté de golpe cuando el automóvil
se detuvo. Tras la ventanilla, la luna alumbraba
una casa de dos pisos cubierta de hiedra.
El viento sacudía las contraventanas de madera.

—¿Por qué paramos aquí? —bostecé,
asustada. Estábamos cerca de un bosque.

—¡Es nuestra nueva casa, boba! —dijo mamá, saliendo del coche—. ¿Qué te parece?

Me parecía que, para ser nueva, se caía a trozos, pero no dije nada. Lo primero era poner a salvo a Cosmo. Seguí a mis padres hasta el porche, iluminado por un farol que colgaba sobre la puerta.

—Voy a ver mi habitación —dije, en cuanto papá abrió la puerta con una pesada llave de hierro.

—¡Pero si no sabes dónde está! —rio él—. ¡Es el primer cuarto del segundo piso!

Por dentro, la casa parecía más vieja aún. Los peldaños crujían, las luces temblaban y los muebles estaban cubiertos por sábanas blancas.

Solo faltaba un fantasma a juego con las cortinas.

Tragando saliva, abrí la primera puerta del pasillo de arriba.

Mi habitación se parecía al resto de la casa. Era estrecha, oscura, y estaba forrada con un horrible papel de pared. Y era tan viejo y feo que debía de haberlo elegido Napoleón con la luz apagada.

Eché el pestillo, me senté en la cama y saqué a Cosmo de la mochila.

—Da miedo, ¿eh? —Lo abracé—. Ni de broma voy a poder dormir aquí dentro.

Y a los cinco minutos ya estaba otra vez roncando. ¡No tengo remedio!

Mis padres decidieron ponerme el pijama y apagarme la luz. Menos mal que ninguno vio al gato acurrucado bajo la cama.

Mientras dormía, la luna fue ascendiendo sobre Moonville. Y ya sería medianoche cuando… ¡Bum! Un golpazo me despertó y un aire helado levantó las sábanas. El viento soplaba tan fuerte que la ventana se había abierto sola.

Corrí a cerrarla, peleando con las cortinas que me azotaban la cara. Entonces, por primera vez, vi el paisaje que se distinguía desde mi cuarto.

Frente a mí se alzaba la silueta de una gran mansión. Era tan vieja, encorvada y negruzca que parecía una bruja gigante. Hasta el tejado de su torre parecía un sombrero picudo.

—Tra-tranquilo, Cosmo. —Temblé, corriendo las cortinas—. Solo es una casa abandonada.

Fue entonces cuando noté que el gato no estaba. ¿Cómo había logrado salir si la puerta estaba cerrada? Aquel minino empezaba a mosquearme.

«Ni se te ocurra salir a buscarlo», me dije.

Por desgracia, no me hice caso. No podía arriesgarme a que lo descubrieran. Giré el picaporte y asomé la cabeza al pasillo desierto.

—¿Cosmo? —susurré, pero mi voz se perdió en las sombras.

Hay un refrán que dice que la curiosidad mató al gato. Solo esperaba que a los que buscan gatos no les pasara lo mismo. De puntillas, avancé por el corredor. El tictac de un reloj sonaba por algún lado, pero había algo más.

Se oía un murmullo apagado de voces.

Venían de una trampilla de madera en el techo. Una escalerita conducía hacia arriba, seguramente al desván. Temblando, subí los peldaños y escuché.

Me pareció distinguir cuatro vocecillas discutiendo. Solo que no entendía un pimiento de lo que decían. No hablaban en ninguna lengua que yo conociera.

Una era áspera, la otra gritona, la tercera muy suave y la última grave y ronca.

Tenía tanto miedo como curiosidad. Y bastantes ganas de hacer pis.

Contuve el aliento y empujé la trampilla para asomarme al desván. Por desgracia, al hacerlo las bisagras chirriaron un poco. Cuatro pares

de ojos se volvieron hacia mí, pero no eran ojos humanos.

¡Eran los de un cuervo, un sapo, un murciélago y un gato reunidos en círculo!

Al verme, los tres primeros salieron disparados por un ventanuco. El gato fue el único que se quedó quieto. ¡Era Cosmo, por supuesto!

—Miau —maulló, saltándome a los brazos.

A mí no me engañaba: ocultaba algo.

¡Basura voladora!

Siempre hay algo peor que un domingo terrorífico. El lunes que viene después.

Y más aún cuando es el primer lunes en tu nueva escuela.

Para colmo, al despertar, había vuelto a perder al gato. Vale que soy despistada, pero aquello era ridículo. Cosmo viajaba más que el conejo de un mago.

Mamá entró en mi cuarto como un vendaval y, como un vendaval, me arrancó la colcha de un tirón.

—¡Date prisa! —me gritó—. ¡No puedes llegar tarde el primer día!

No solo llevaba un zapato de cada color, es que además se había puesto uno de papá. Me reí de lo nerviosa que estaba. Luego, al subir al coche, dejé de reírme. ¡Yo también me había puesto dos botas distintas! Era mi primer día en mi nuevo cole y me temblaban hasta las pecas.

El coche traqueteaba por las calles empinadas de Moonville. Las casas, de aspecto anticuado, tenían tejados de pizarra oscura. Parecía un pueblo de cuento. De cuento de terror.

—¡Ahí es! —exclamó papá, al pasar por un gran edificio de piedra con un reloj.

El coche pegó un frenazo, pero yo sentí que
era mi corazón el que se paraba.

Al cabo de unos minutos, al entrar en clase,
empezó a latir a toda prisa. Cuando la maestra
se me acercó, creo que se me puso del revés.

Sé reconocer a una profesora peligrosa cuando
la veo.

Se llamaba Madame Prune y tenía el aspecto de una enorme gallina. Aunque, en vez de plumas, llevaba un traje de chaqueta rosa. En lugar de cresta, un moño muy tieso. Tampoco tenía pico, pero sus ojos se clavaron con dureza en los míos.

—Tú debes de ser la nueva alumna, ¿eh?

—murmuró, levantándome la barbilla con un dedo—. La de la ciudad.

Pronunció la palabra «ciudad» como si estuviera diciendo «basurero».

—Tienes sitio ahí atrás —gruñó al fin, señalando la última fila.

Crucé la clase mientras todos me miraban con curiosidad. En el pupitre del fondo encontré un niño de cara colorada y pelo cortado a tazón.

—Hola —murmuré, sentándome a su lado—. Me llamo Anna.

Eso es lo que mis padres llaman «ser una persona educada».

—Yo soy Oliver —contestó el chico—. Y en este pupitre mando yo.

Eso es lo que yo llamo «ser un imbécil de campeonato».

Le ignoré y me puse a mirar la pizarra. Sin embargo, al momento sentí su codo clavarse en mi cintura. Me observaba con sus ojillos de rata.

—¿Qué pasa? —susurré.

—¿Sois los que habéis comprado la casita junto a la mansión abandonada?

Vaya, en Moonville las noticias volaban.

—Supongo —contesté con sequedad—. ¿Y qué?

—Que sois idiotas —repuso él—. ¿No sabéis que esa mansión está encantada?

Sentí un escalofrío al recordar las voces del desván. Pero no quise que se me notase el miedo.

—Vaya tontería —le dije—. ¿Quién lo ha dicho?

—Todo Moonville lo sabe —respondió—. Se oyen ruidos raros cada noche. Y hay luces en lo alto de la torre. Y animales que hablan. ¡Ese lugar está lleno de brujas!

—Pues qué brujas más cochinas, la tienen hecha un asco —le solté.

—¿Es que no te da miedo o qué?

—No —mentí.

—A ver si es que tú también eres una bruja —siguió Oliver.

—Déjame o me chivo a la profesora —le amenacé, ya muy harta.

—Y yo diré a todos que eres una bruja.

Resoplé y aparté la vista. Sentía como la cara me ardía de rabia. Oliver se acercó y empezó a repetir una palabra en mi oído: «Bruja, bruja…», decía.

Volví la cabeza a un lado para no oírle. Era el rincón de la papelera. Pensé en lo bonita que le quedaría a Oliver de sombrero. Entonces ocurrió una cosa rarísima.

¡Bang! La papelera salió disparada y voló sola hasta la cabeza del niño. ¡Era como si me hubiera leído el pensamiento!

Todos, hasta Madame Prune, se volvieron hacia nosotros.

—¡Qué espanto! —chilló la maestra al verlo—. ¡¿Quién te ha hecho eso, Oliver?!

Con el cubo encasquetado en el coco, a Oliver no se le entendía una palabra. Tuve que ayudarle a quitárselo, pero eso fue incluso peor. Su cabeza

apareció cubierta de papeles de plata, virutas de sacapuntas y migas de bocadillo. Una monda de mandarina le colgaba de la oreja.

—¡Ha sido ella! —chilló, señalándome.

Quise protestar, pero estaba demasiado confundida. Vale, y también muerta de risa.

—¡Anna Green, castigada después de clase! —chilló Madame Prune.

El aula de castigo

4

Cuando sonó el timbre, seguía sin entender nada.

Pensaba en la mansión siniestra y en el gato desaparecido. En los bichos del desván. En mi cuarto nuevo y en Oliver cubierto de basura. Pero, sobre todo… en lo mucho que odiaba Moonville. ¡Allí no paraban de ocurrir cosas raras!

¡Y ahora me castigaban injustamente!

Crucé la escuela vacía con la cabeza gacha. Oía a los demás niños gritar y correr hacia sus casas. Por fin llegué a una puerta donde ponía: «AULA DE CASTIGO».

Aunque Madame Prune no había llegado, ya había tres alumnos dentro: dos chicas y un chico que se callaron al verme llegar.

Al chico lo había visto en clase. Lo reconocí por el chándal de color chillón y también porque le faltaba un diente. Ni siquiera me saludó.

Una de las chicas, en cambio, me miró con descaro mientras hacía una gran pompa de chicle. Cuando la pompa estalló, los cristales de sus gafas se volvieron rosas.

La otra niña era algo mayor que los otros. Se mordisqueaba una trenza y me vigilaba con el rabillo del ojo.

Todos parecían sorprendidos de verme allí. Ninguno parecía contento. Casi me alegré cuando por fin apareció Madame Prune, aunque dejé de alegrarme cuando sacó una llave y la metió en la cerradura.

Espera... ¿Nos estaba encerrando?

—Listo —dijo, guardando la llave en su bolso—. ¡Anna Green, ven aquí!

¿Yo? Nerviosa, obedecí. Al acercarme a ella, me puso la mano en el hombro.

—Escuchad todos —ordenó—. Esta es Anna, la nueva alumna. Y debo contaros ahora mismo algo muy importante sobre ella.

—¿Qué es, Madame Prune? —preguntó la chica de las trenzas, muy seria.

Rompí a sudar. No tenía ni idea de lo que estaba pasando.

—Creo… —dijo muy lentamente—. Mejor dicho, estoy segura… de que Anna es una bruja.

Los niños me miraron de arriba abajo.

—¿Qué? —murmuré—. ¡No es verdad! No sé lo que le ha dicho Oliver, pero fue la papelera la que…

Entonces, una gran carcajada me interrumpió. ¡Madame Prune se estaba partiendo de risa! Parecía más que nunca una gallina cacareando. Eso sí, una gallina simpática.

—¡Pero si aquí todos somos brujos, hija! —exclamó entre risotadas—. Por eso te hemos traído.

Los niños asintieron, más tranquilos.

—¿Traerme aquí? —pregunté—. ¿Quiénes?

—Nosotros —dijo la niña de las gafas, inflando su chicle—. El Club de la Luna Llena.

—La mejor sociedad mágica del mundo… —canturreó el chico.

—¡No entiendo nada! —exclamé—. Y, en serio, no soy una bruja.

—Oh, claro que lo eres —replicó Madame Prune—. Es solo que aún no lo sabes ni controlas tu magia. Por eso, al enfadarte, lanzaste la papelera contra Oliver. ¡Tus poderes están despertando en Moonville!

Lo que había despertado eran mis ganas de salir pitando.

—Trataré de explicártelo —suspiró mi profe—. Verás, nuestro club necesita nuevos alumnos mágicos. Cuando encontramos un candidato, lo arreglamos todo para atraer a su familia al pueblo. Fuimos nosotros los que encontramos un local para la pastelería de tus padres. ¡Hasta hechizamos los periódicos para que vieran nuestro anuncio!

Eso explicaría lo plastas que estaban mis padres con Moonville…

La profesora continuó:

—Queríamos decírtelo poco a poco, ¡pero

nada más llegar hiciste magia delante de todos! Por eso tuve que fingir castigarte y convocar esta reunión urgente. Para explicártelo en privado.

Entonces alzó el dedo y su moño se deshizo entre destellos dorados. Una larga cabellera se le derramó por los hombros. Su sonrisa me dio algo de confianza.

—Pe-pero… —logré decir—. ¿Cómo pudieron elegirme si no me conocían?

—Ah, no te elegimos nosotros —repuso Madame Prune, abriendo su bolso.

Por la cremallera asomó la cabecita de alguien que ya conocía. ¡Era Cosmo!

Pero no era solo él. Detrás del gato salió volando un cuervo. Luego saltó un sapo. Y después del sapo apareció un murciélago. Aquello, más que un bolso, parecía un parque zoológico.

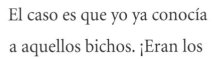

El caso es que yo ya conocía a aquellos bichos. ¡Eran los

que había visto cuchicheando en mi desván!

El cuervo aterrizó en el hombro del niño. El sapo brincó a la cabeza de la niña de gafas. El murciélago se escondió entre las trenzas de la chica más alta.

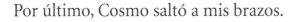

Por último, Cosmo saltó a mis brazos.

—Es tu mascota mágica —sonrió Madame Prune—. Ha detectado tus poderes y te ha escogido para nuestro club. A Marcus, Ángela y Sarah también los eligieron sus animales. Son ellos los que ayudan y protegen a un brujo.

Miré a mis nuevos compañeros y sus mascotas.

—Ahora vuelve a casa y espera allí —dijo la maestra—. Esta noche asistirás a tu primera reunión.

Pedaleando entre las estrellas

5

Pasé el resto del día dándole vueltas a la cabeza y lo único que conseguí fue marearme.

Solo se me ocurrían cinco explicaciones posibles a todo aquel lío:

1. Me estoy volviendo loca.
2. Son Madame Prune y sus alumnos los que están chiflados.
3. Estamos todos pirados.
4. Me están gastando una broma pesada.
5. Soy de verdad UNA BRUJA.

—¡A cenar, Anna! —me llamó papá.

Arrugué mi lista y bajé a la cocina. Los del club me habían dicho que pronto me harían llegar un mensaje, pero pasaban las horas y seguía sin noticias. Cada vez me convencía más la opción número cuatro.

Me habían tomado el pelo hasta las horquillas.

—Nuestra Anna está muy callada esta noche —comentó papá.

—¿De verdad que todo fue bien en el cole? —preguntó mamá.

Como habían pasado el día arreglando su local, apenas nos habíamos visto. Asentí y miré mi plato para disimular. Al menos, allí estaba mi cena favorita: sopa de letras.

Bueno, pues aún no había probado el primer sorbo cuando ocurrió algo increíble.

Las letras flotaban bien ordenadas en mi cuchara. Debí de poner tal cara de boba que la sopa se agitó para formar otras cuatro palabras.

Muy nerviosa, me metí la cuchara en la boca y bajé la vista. ¡En el plato había otro mensaje!

Me apresuré a remover las letras. Ahora volvía a pensar que estaba chalada.

De todas formas, no me atreví a desobedecer.

—Ay, qué sueño. —Bostecé tan pronto como hube engullido la sopa—. Creo que me voy a dormir.

Después de lavarme los dientes y ponerme el pijama, me encerré en mi cuarto y me volví a cambiar. De todos modos, aquello era ridículo. ¿Por dónde narices iban a venir a…?

Justo entonces sonaron tres golpecitos en la ventana. ¡Pero si estábamos en un segundo piso!

Al abrir las cortinas, lo primero que vi fue la sonrisa mellada de Marcus. Y, lo segundo… que venía montado sobre una bicicleta voladora. Su cuervo me miraba burlonamente desde el manillar.

El chico me hizo señas para que abriera.

—¿Es aquí donde han pedido un taxi? —bromeó—. ¡Venga, monta!

Era más fácil decirlo que hacerlo. Tardé como cinco minutos en salir por la ventana y sentarme

en la parte de atrás del sillín. Cuando Cosmo
saltó a mis brazos casi pierdo el equilibrio.

—¿Pero las brujas no iban en escoba?
—resoplé, intentando no mirar abajo.

—¡Sí, las de la prehistoria! —se burló él,
y empezó a pedalear.

El cuervo graznó y la bici salió disparada
hacia arriba como un cohete.

—¡Ahhh! —chillé, agarrándome al sillín—.
¿Hemos quedado en Saturno o qué?

—Nos sobra algo de tiempo —respondió él—.
¡Voy a enseñarte Moonville desde el aire!

Hábilmente, Marcus puso rumbo al pueblo.
Poco a poco, fui perdiendo el miedo. Realmente
volar sobre los tejados era una sensación

alucinante. Las farolas brillaban a mis pies. Las nubes se me enredaban en la melena. Ah, y por poco atropellamos una lechuza.

—¿Cómo le has hecho esto a la bici? —me atreví a preguntar—. ¿Con un hechizo volador?

—Casi —dijo él—. El hechizo se llama *Levantaculos Cósmico* y me lo enseñó Ángela. La chica que masca chicle, ¿te acuerdas?

—Sí —dije, y luego añadí—. La otra chica no tiene pinta de andarse con bromas.

—¿Sarah? —rio él—. Ya, a veces tiene mal humor. Es la mayor y se lo toma muy en serio.

—¿Y a Oliver, el de clase? —dije—. ¿Lo conoces bien?

Marcus frenó en el aire y dejó de sonreír.

—¡Aléjate de él! Su bisabuelo fue el cazador de brujas más famoso de Moonville.

—¿Cazador de brujas? —dije, temblando otra vez—. Pero ¿qué tipo de trabajo es ese?

Poco a poco, la bici comenzó a descender entre la niebla.

—¿Por qué crees que tus poderes han despertado en Moonville? —repuso Marcus—. ¡Porque es un pueblo mágico! Antiguamente era el hogar de muchos magos y brujas, pero también había crueles cazadores que perseguían la magia. Y Oliver quiere seguir su ejemplo.

O sea, que mi compañero de pupitre no solo era idiota. También era peligroso.

(Pero, ante todo, idiota.)

—Agárrate —me pidió Marcus, acelerando—. Voy a tomar tierra.

Cuando me atreví a abrir los ojos, ya no había vuelta atrás. Habíamos derrapado junto a la vieja mansión abandonada.

La casa encantada

—Este es nuestro cuartel general —explicó Marcus, desmontando.

Me fastidió ver que Oliver tenía razón. ¡Era allí donde se reunían las brujas! Vista de cerca, la mansión no daba tanto miedo. Daba terror.

A su lado, mi casa parecía un hotel de cinco estrellas.

—¿Estás asustada? —me preguntó Marcus.

—¿Asustada? ¿Yo? —repuse, siguiéndole hasta la puerta—. Y un jamón.

Para demostrarlo, tiré muy confiada del cordón de la campana.

Al hacerlo, un horrible chillido hizo temblar toda la mansión.

—O-oye —tartamudeé—. Lo he pensado mejor y no quiero ser bruja. Hala, hasta nunca...

—¡Espera! —rio Marcus—. Eso era solo el timbre.

Y, para demostrarlo, tiró de nuevo de la cuerda. El espantoso grito se repitió.

—¿Y no podía sonar «ring, ring»? —protesté, a punto de sufrir un infarto.

—Es un truco para alejar a los curiosos —explicó Marcus—. Y a los idiotas como Oliver. A menudo intenta asaltar la casa con sus amigos y hemos tenido que espantarlos. ¡Venga, sígueme!

Que la mansión estaba encantada lo noté enseguida. No es muy normal que, al entrar en una casa, todos los candelabros se enciendan solos.

Luego, en el reloj del vestíbulo, vi que las agujas giraban al revés.

Al subir la escalera, unos retratos estornudaron y nos llenaron de polvo.

—¡Perdón, Marcus! —se disculpó una señora antigua desde su lienzo—. Eh, mola tu chándal.

—Gracias, Condesa —respondió él.

En la biblioteca, unos libros de poesía trataron de mordernos.

Los pasillos estaban hasta arriba de telarañas, y eran tan grandes que parecían cortinas. Al

atravesarlas te quedabas rebozado como una
croqueta de color gris.

—Pues menos mal que no están sus dueñas
—dije, imaginando arañas como albóndigas con
patas.

—¿Entonces qué es eso peludo que tienes en la
cabeza? —preguntó Marcus.

Mira, pegué tal bote que el gato se cayó
al suelo, pero resultó que solo era una broma
de Marcus. No veas cómo se reía. Y su cuervo,
Mr. Rayo, más aún.

—¡Estúpidos! ¡Brujimemos! —les grité.

—Pero ¿qué jaleo es este? —exclamó una voz
ronca a nuestra espalda—. ¿Y quién es esta niña?

Muy despacio, me di la vuelta. De aquel lugar
podía esperarme cualquier cosa.

Por suerte, solo era un señor que nos miraba
y sacudía con disgusto la cabeza.

Por desgracia, la cabeza la tenía sujeta entre
las manos.

Era un fa-fa-fantasma. Ni siquiera puedo
escribirlo sin tartamudear.

—Perdone, señor Carapuerro —se disculpó
Marcus—. Es que Anna es nueva en el club.

Le aseguro que irá con más cuidado a partir
de ahora.

—Eso espero —dijo el espectro, haciéndome
una reverencia… y esfumándose en el aire.

—Es Carapuerro, el espíritu del mayordomo
—me susurró Marcus—. Es un auténtico
muermazo. Ahora dirige la casa encantada,

y no se anda con bromas. Todos le obedecen. Los murciélagos, los cuadros, los esqueletos…

—¡¿Esqueletos?! —le interrumpí. Aquella mansión parecía un parque de atracciones.

—La casa está bien defendida —respondió él, sacando algo de debajo de su chaqueta.

Parecía un cuaderno grueso y desgastado. Marcus lo abrió y me enseñó un enorme dibujo lleno de detalles. ¡Era un plano completo de la mansión encantada! Con trampas y todo.

Al cerrar el cuaderno, me fijé en lo que ponía su portada: «DIARIO MÁGICO DE MARCUS POCUS».

—Marcus Pocus es mi nombre de mago —explicó el niño—. Las chicas son Ángela Sésamo y Sarah Kazam. Seguro que a Madame Prune se le ocurre un buen nombre para ti.

—¿Y el diario? —pregunté con curiosidad—.
¿Puedo verlo?

—Lo siento, pero es privado —se disculpó—.
Cada uno tiene su propio diario para apuntar
sus secretos. O lo que es lo mismo: recetas de
pociones, palabras mágicas o los hechizos que
inventamos.

—¿Os inventáis vuestros propios hechizos?
—me sorprendí.

Pensé que la magia se estudiaría con libros de texto, como los de la escuela.

—Qué va —dijo Marcus—. El diario de cada brujo es distinto. Todo depende del color de su magia.

—¿Del color? —murmuré—. ¡Pero yo no sé de qué color es mi magia!

—Para eso estás aquí —susurró él, empujando una puerta.

Nos encontrábamos en la torre más alta de la mansión.

Diarrea de unicornio

—¡Buenas noches, mis mágicos tardones! —nos saludó una voz conocida.

Era Madame Prune, vestida de túnica y cubierta con una graciosa capa. A su lado estaban Ángela Sésamo y Sarah Kazam. Se hallaban en una especie de biblioteca iluminada con farolillos de colores.

En el centro habían preparado una mesa llena

de tazas y pastas de té. Una gran tetera humeante lo presidía todo.

—Hola —masculló Ángela, que seguía con su chicle. Aquella noche, además, llevaba botas de astronauta. No me preguntes por qué.

—Hace un buen rato que esperamos. —Ese fue el saludo de Sarah.

Ella llevaba un gorro picudo ladeado sobre la cabeza. Se debía creer la gran Bruja Piruja.

—¡Sentaos! —nos pidió Madame Prune, palmoteando—. Es hora de merendar.

¿A medianoche? Pues vaya horitas.

Las mascotas ya estaban en la mesa, cuchicheando como la primera vez que las vi. Yo cogí a Cosmo y me senté también. Madame Prune nos sirvió té y todos empezaron a beber. Suspirando, cogí mi taza. Me había imaginado algo más emocionante. Aquello se parecía al club de costura de mi abuela.

—Eres impaciente —observó Madame Prune—. Antes de empezar, es necesario que sepas algo. El Club de la Luna Llena se encarga de proteger Moonville y a sus criaturas mágicas, pero para pertenecer a él hay que obedecer tres normas irrompibles: las Reglas de Diamante.

—Primera regla —empezó Marcus Pocus—. Nadie fuera del club debe saber que tienes magia.

—Segunda —añadió Ángela Sésamo—. No puedes robar un hechizo a un compañero.

—Tercera —gruñó Sarah Kazam—. Solo debes usar la magia para hacer el bien.

Yo tragué saliva. Sabía que ya había roto una de aquellas tres normas.

—Sí —suspiró Madame Prune—. Hiciste

magia en clase sin respetar la primera regla.
Y también te saltaste un poco la tercera. Pero
fue sin querer, así que vamos a olvidarlo.

—Gracias —repuse, dando un sorbito a mi té.
Sabía a calcetines sucios.

—Bien —añadió la maestra—. Ahora solo
falta que nos muestres el color de tu magia.

—No sé cómo hacer eso —titubeé.

—Es muy fácil —dijo Marcus.

Entonces alargó el brazo y puso su taza en el centro de la mesa.

¡El té de su interior se había vuelto de un verde brillante!

Luego Ángela hizo lo mismo, y vi que su bebida era ahora de color violeta. En cambio, la de Sarah se había puesto amarilla como un canario fluorescente. Hasta el té estaba chiflado en Moonville.

—Lo cierto es que no es té —explicó Madame Prune—. Es una poción reveladora. Se vuelve del color de la magia del que lo bebe. Mira.

La profesora me mostró su taza, cuyo líquido era blanco como la leche.

Magia verde, violeta, amarilla, blanca… Pero, ¿y yo? Mi poción no había cambiado en absoluto. Seguía teniendo color pis de gato.

Todos se miraron, mosqueados. ¿Y si mi gato se había equivocado al elegirme? ¿Y si, después de todo, no era una bruja?

—Me temo que… —empezó Sarah Kazam, con una sonrisita en los labios.

—¡Miau! —la interrumpió Cosmo, señalando mi poción con la cola.

El líquido había empezado a burbujear suavemente. Después, poco a poco, se puso a girar dentro de la taza. Cada vez más rápido, hasta que formó un remolino. Luego empezó a cambiar de un color a otro. Naranja, amarillo, verde… ¿En cuál se detendría?

No se detuvo en ninguno.

La poción siguió bullendo y volviéndose cada vez más loca hasta que… ¡Bum! La taza estalló y un espeso pringue multicolor salió disparado en todas direcciones.

Parecía que había pasado por allí un unicornio con diarrea.

Madame Prune se limpió el colorido moco de la cara… y debajo apareció una gran sonrisa.

—¡¡Magia arcoíris!! —exclamó, impresionada—. ¡Anna tiene magia arcoíris!

Las mascotas se limpiaban unas a otras.

Marcus me miraba como a una estrella de rock.

—¡Es la magia más poderosa! —dijo Ángela, cuyas gafas chorreaban moco de la taza.

Sarah era la única que parecía de mal humor. Quizá era porque mi cucharilla estaba encajada en un agujero de su nariz. O quizá solo porque se moría de envidia.

En ese momento, la maestra, orgullosa, abrió su bolso sin fondo.

—Aquí tienes, Anna —dijo, sacando algo del interior—. Ya perteneces oficialmente al club.

Era un cuaderno parecido al de Marcus. En la portada ponía: «DIARIO MÁGICO DE ANNA KADABRA»

Seamos sinceros: ¡cómo mola mi nombre de bruja!

Coco y Chocolate

8

Yo creí que ser bruja era fácil. Que con un golpe de varita ya estaba todo hecho.

Pues no.

Para empezar, hasta la varita te la tienes que hacer tú. Resulta que se fabrica con una rama de abedul cortada en noche de luna llena.

¡Oye, yo soy una chica de ciudad! No sé distinguir un abedul de una ortiga. En aquel momento ni siquiera sabía que las ortigas no se pueden tocar. Cuando lo hice, se me pusieron los dedos como salchichas con sarampión. Luego había que remojar la rama en agua de lluvia: me resfrié. Había que secarla con una vela roja: me quemé. Había que pegar en la punta un objeto muy querido. Escogí una de las horquillas de libélula que me regaló la abuela, pero antes, claro, me pegué los dedos.

Ahora solo faltaba que sirviese para hacer magia.

Mientras en el cole estudiaba mates
y geografía, en el club aprendía a mezclar
hierbajos, a limpiar la roña de un caldero,
a secar rabos de lagartija… y a recitar poesía.
Sí, resulta que había que inventar los conjuros
en verso. Para colmo, la mitad de mis rimas no
funcionaban. Mis compañeros se partían de risa.

Al fin, después de mucho pensar, logré escribir
mi primer hechizo útil:

Cola de salmón, moco de pirata,
pis de mejillón, ¡vuélvete de plata!

Servía para transformar las cosas baratas en
tesoros. O eso pretendía yo. Cuando lo probé
sobre una de mis botas… ¡Plop! Se convirtió
automáticamente en una merluza.

—Claro, hija —rio mi profe, deshaciendo mi desastre—. Salmones, piratas, mejillones… ¡Hay demasiadas cosas marineras ahí! Y la plata del mar es la merluza.

Madame Prune era una bruja simpática, al menos en las reuniones del club. En el colegio se portaba como una bruja a secas. A Marcus y a mí nos la liaba por cualquier cosa y nos tenía fritos a deberes. Parecía que, allí, nos tuviera manía.

—Lo hace para disimular —me explicó Ángela Sésamo—. Y no te preocupes si fallas al principio. Con mi primer conjuro se me puso nariz de cerdo. Eso sí, me quedaba genial.

Ángela, aunque rara, era amable. Para animarme, hechizó mi patinete con su *Levantaculos Cósmico*. Sin embargo, aún no me atrevía a volar sola. Y eso que me pasaba el día de un lado a otro: de la mansión a mi casa, de mi casa al cole, y del cole a la pastelería de mis padres.

La habían llamado «COCO Y CHOCOLATE», y estaba justo en mitad del pueblo. Solía ir allí

a pasar las tardes y a hacer los deberes entre
bollos, pasteles y tartas de cumpleaños. Les había
quedado de lujo. Lo único que me molestaba era
la vista que tenía desde el mostrador.

¡Era el bisabuelo de Oliver, el famoso cazador
de brujas! Tenía la misma cara de bruto que su
bisnieto, y una antorcha en la mano. Moonville le
había levantado una estatua por luchar contra la
magia. Oliver solía pasar por allí para limpiarla
y sacarle brillo. Decía que de mayor también
sería cazabrujas.

A menudo, el crío venía a rondar por la
mansión encantada con sus amigos. Por suerte,
como había dicho Marcus, nuestro cuartel estaba
bien protegido. A veces acababan perseguidos
por una bandada de murciélagos. En otras
ocasiones, les espantaban las arañas. Carapuerro

sería un fantasma aburrido, pero sabía defender la casa y nunca les permitía entrar.

Una vez, le oí decir algo terrible a Oliver.

Dijo que, como no podía entrar en la mansión, cualquier día cogería una antorcha como la de su bisabuelo para prenderle fuego.

Aquella frase me dio escalofríos.

Solo había una persona que me cayese tan mal como Oliver y su banda: Sarah Kazam.

Ya puedes imaginar el susto cuando una tarde la vi entrar en la tienda. Venía con sus padres a comprar merengues de fresa. ¿Se puede ser más cursi? Mientras nuestros padres charlaban, nosotras nos quedamos sin saber qué decir. Yo intenté ser amable.

—Mmmm… —murmuré—. Hola.

—Hola —rezongó, como si en vez de pasteles

vendiéramos boñigas de cabra—. ¿Dónde está Cosmo?

Hasta mi gato le interesaba más que yo.

—En casa —repuse—. Mis padres no saben que tengo una mascota.

—Ah, ya —dijo ella—. Mis padres tampoco conocen a Cruela, mi murciélago. Pero ayer descubrí un hechizo de invisibilidad. Ahora puedo llevarla siempre conmigo.

Confieso que me morí de envidia. El pobre Cosmo apenas podía salir de mi cuarto.

—Supongo que tu gato no tiene ningún poder especial… —dijo con una sonrisa maligna. Luego corrió tras sus padres. Ojalá se les atragantasen los merengues.

Sin embargo, al salir, se le cayó algo del bolsillo. Era un papel doblado en cuatro. Salté el mostrador para cogerlo y devolvérselo… pero no pude evitar mirarlo antes.

Toma ya. Era su famoso hechizo de invisibilidad.

Por el día claro,
por la noche oscura,
¡no quiero ver más
tu vieja figura!

Un trasero peludo y gigante

Por si no lo he dicho, cada tipo de magia sirve para algo distinto.

Madame Prune tenía magia blanca, que otorga poderes reparadores y curativos.

La magia verde de Marcus servía para dominar la naturaleza.

Ángela, con su magia violeta, era especialista en hechizos nocturnos y de camuflaje.

Y la magia amarilla de Sarah era ideal para cambiar la apariencia de las cosas.

Con mi magia arcoíris, yo podía hacer casi CUALQUIER COSA. Por ejemplo, usar el conjuro de invisibilidad… y decir que era mío. Ya sé que la segunda regla del club lo prohibía. Pero ¿quién se iba a enterar? Aquella misma noche me encerré con Cosmo para probar suerte.

—¿Miau? —pareció preguntarme él con los bigotes tiesos.

Yo solo le guiñé un ojo y lo apunté con mi varita. Después leí en alto el hechizo de Sarah:

Por el día claro, por la noche oscura, ¡no quiero ver más tu vieja figura!

¡Bang! Un potente chorro de colores salió

disparado de
la varita y alcanzó al
minino.

Y entonces, de
repente… No sucedió
nada. Pero nada de nada.
El gato seguía allí, tan
pancho. Hasta me pareció un
poco más grande.

Un momento, ¿acaso no era más grande?

Sí…Ahora medía casi un palmo más. ¿O eran
dos? Que va, eran por lo menos tres…

Vale, mejor admitirlo cuanto antes. ¡Cosmo
no solo no desaparecía, sino que estaba
creciendo! Sus patas, sus orejas, su cola… todo
estaba aumentando de tamaño.

Cuando quise darme cuenta, más que un gato

parecía un tigre pequeño. Pero no se detuvo ahí. Siguió haciéndose más y más grande hasta que la cama crujió.

—Miau —protestó Cosmo, con una voz parecida al ronquido de un gorrino.

—¡Para ya! —ordené, muy preocupada.

Nada. Al poco ya era como una bañera. Luego, como un escritorio peludo. En medio minuto más, su cola empezó a tocar el techo. Sus bigotes arañaron el armario.

Yo empecé a improvisar conjuros a toda mecha.

—*¡Socorro, socorro, vuelve a ser un cachorro!*
¡En menos de un minuto te quiero diminuto!
¡Hazte más pequeño… que yo te lo ordeño! ¡Ay!

Cosmo acababa de arrinconarme contra una esquina. El pobre estaba tan asustado como yo. Si seguía creciendo a ese ritmo, las paredes reventarían.

Mientras intentaba no ahogarme en pelo de gato, me di cuenta de una cosa.

¡La hoja de papel de Sarah era en realidad una trampa!

No contenía un conjuro de invisibilidad, sino uno aumentador. O, como diría Ángela, un hechizo *Agranda Traseros*. Solo lo había dejado caer para que yo lo usase y me metiese en un lío. Tenía envidia de mi magia arcoíris y quería expulsarme del club cuanto antes.

Cosmo emitió un «miau» profundo y desesperado. Creí que sería la última vez que lo oiría maullar.

Entonces, de pronto… ¡Zum! Me deslumbró un resplandor verde y cerré los ojos.

Al abrirlos de nuevo, Cosmo volvía a ser de su tamaño.

Marcus estaba asomado a la ventana con su varita, que aún humeaba. Por suerte, su poder sobre la naturaleza funcionaba con cualquier tipo de animal.

—¿Qué ha pasado aquí? —jadeó. Venía

a recogerme en su bici cuando vio el gran trasero peludo que bloqueaba la ventana.

—¿Que qué ha pasado? —grité, agarrando a mi pobre gato—. ¡Llévame a la mansión ahora mismo!

—Bueno, pero…

—¡Ahora mismo! —repetí, saltando por la ventana—. ¡Pedalea!

Él no se atrevió a rechistar. Para no perder el tiempo, derrapamos en el tejado. Desde allí, a través de un tragaluz, se podía bajar a nuestro cuartel general.

Madame Prune aún no había llegado. Mejor que mejor.

—Buenas noches, terrícolas —dijo Ángela.

Aquel día lucía una diadema con antenas de marciano. No me preguntes por qué.

—¡Tú! —dije, acercándome a Sarah. Ella llevaba su anticuado y ridículo gorro de siempre.

—¿Pasa algo? —sonrió, haciéndose la tonta.

—¡Pasa esto! —dije, apuntándola con mi varita.

Sarah no tuvo tiempo de defenderse.

Cuando, un minuto después, llegó Madame Prune, solo nos vio a Marcus, a Ángela y a mí.

Sarah estaba dando brincos sobre la alfombra, transformada en una merluza con trenzas. ¡Nunca la había visto tan guapa!

Antorchas
en el bosque

La profe deshizo mi hechizo sin decir una sola palabra. No es que escupiera sapos ni que le salieran chispas del moño. Pero su cara de decepción dolía incluso más. Más aún que tocar una ortiga.

—Te perdoné que te saltaras la primera regla, Anna —dijo—. Y tú rompes la segunda y la tercera el mismo día. Le robas el hechizo a Sarah

y luego usas tu magia para hacerle daño. Quizá me equivoqué al invitarte al club.

—¡Es que Sarah me tendió una trampa! —protesté, pero no quiso oírme.

Lo que hizo fue despedirnos a todos y suspender la reunión. Sarah parecía satisfecha. Y eso que aún olía a pescadilla.

Al día siguiente era sábado. Aun así, Madame Prune se las apañó para hacerme llegar un mensaje. Esta vez, desde el libro de ciencias naturales. Casi me da un infarto cuando la rana de la página 12 giró la cabeza y me miró a través de la página. Luego, poco a poco, sobre su cabeza fue apareciendo un gran moño rubio. ¡Era clavadito al peinado de Madame Prune! El colmo fue cuando el bicho me habló con la voz de la maestra:

Hoy a las doce votaremos si sigues en el club. Si ves salir humo verde de la mansión, puedes volver. Si el humo es rojo, es que has sido expulsada.

Vamos, como si la chimenea fuera un semáforo. Pues yo necesitaba que me dejase avanzar. ¡Quería seguir siendo bruja! Aunque fuese la bruja más torpe del mundo…

Me puse tan nerviosa que durante la cena me serví el puré en el vaso. Luego me rasqué la espalda con la cuchara. Intenté comerme la naranja sin pelar. Como mis padres empezaron a sospechar, di las buenas noches y desaparecí escaleras arriba.

Aquel día mi cuarto me pareció más feo y oscuro que nunca. Ojalá hubiera tenido un hechizo *Encoge Traseros*. Me hubiera hecho pequeña hasta desaparecer. Suspirando, cogí a Cosmo y abrí la cortina para observar la mansión. Aunque no fue precisamente humo lo que vi.

Un resplandor brillaba en la oscuridad. Pero no era rojo ni verde. Parecía el brillo de cinco o seis fuegos sobre la carretera del pueblo. Se movían.

Qué raro. Eran niños con antorchas. Apagué la luz y pegué la nariz al cristal.

Antes de llegar hasta mí, los muchachos se desviaron hacia el bosque. Entonces, al pasar frente a mi ventana, vi al fin quiénes eran: ¡Oliver Dark y su pandilla!

A la luz de las llamas distinguí el gesto feroz de mi compañero. Era igual que la estatua de su bisabuelo, el cazabrujas. Con menos barba y menos cacas de paloma encima… pero con la misma cara de bruto.

Entonces, de pronto, adiviné lo que hacían en el bosque. ¡Iban a prender fuego a la vieja mansión! Hartos de ser expulsados, Oliver había decidido cumplir su amenaza y reducir nuestro cuartel a cenizas.

Me hubiera gustado lanzarles un conjuro *Bomba de Mocos*, *Mofetosis Aguda* o *Explosión Piojo-Peluda*. Sin embargo, no tenía ni idea de cómo hacerlo.

Empecé a ponerme nerviosa otra vez. Por muy brujos que fueran, quizá los miembros del club estuvieran en peligro. Ni siquiera el antipático Carapuerro podría protegerlos frente a un gran incendio.

Tenía que hacer algo volando. Y cuando digo volando quiero decir VOLANDO.

Me puse la sudadera, metí a Cosmo en la

capucha y alcancé mi patinete. Era hora de probar por mí misma el *Levantaculos Cósmico*. Tal vez, también era hora de hacerme tortilla de bruja contra el suelo.

Abrí de par en par la ventana y agarré el manillar. Al hacerlo, sentí como una descarga eléctrica en las manos. Después, una sacudida en los pies y el patinete despegó a toda mecha.

Al instante me encontré flotando sobre el jardín... ¡cabeza abajo! La melena me tapaba los ojos y no veía nada. Debía de parecer una fregona voladora.

Tardé un poco en recuperar el control del vehículo. Al fin, por suerte, logré ponerme derecha. Luego aceleré, sobrevolé el grupo de Oliver y me dirigí como un relámpago a la mansión.

Bichos del espacio exterior

11

Intenté aterrizar en el tejado, pero era una
maniobra demasiado difícil. Así que tomé tierra
a un lado de la casa.

Y cuando digo «tomé tierra» quiero decir
que me la comí, porque caí de bruces junto a un
roble. Me sacudí el polvo y me levanté. Tenía que
correr a avisar a Madame Prune y a los demás.
Por desgracia, en aquel momento oí voces.

Oliver y sus compinches estaban ya cerca. Podían descubrirme si me acercaba a la puerta principal.

—¿Qué hago? —pregunté a mi gato—. Solo se me ocurre convertirlos en merluzas.

No, si al final en vez de bruja me haría pescadera.

Por desgracia, Cosmo estaba ocupado intentando cazar una polilla. A veces olvida que es un gato mágico y se comporta, simplemente, como un gato tonto.

—Oye, guapo —le espeté—. ¡No es momento para bichos!

¿O sí lo era? Acababa de tener una idea.

Rápidamente, me arrodillé y me puse a buscar. Encontré tres hormigas, un bicho bola, dos mariquitas y un escarabajo cornudo. Los metí en la capucha y saqué mi varita.

El resplandor de las antorchas se adivinaba ya entre las sombras. Apreté los ojos para recordar el hechizo aumentador de Sarah.

—*Por el día claro, por la noche oscura…* —recité—. *¡No quiero ver más vuestra vieja figura!*

Mi capucha se llenó de chispas de colores. Rápidamente, liberé a los bichos y trepé al roble como un chimpancé. No quería estar en el suelo cuando mi magia hiciera efecto.

Cosmo saltó a mi lado. Desde allí arriba los dos vimos llegar a Oliver seguido de sus cómplices.

El mocoso canturreaba algo así como «¡A las brujas hay que eliminar!». Y los demás respondían: «¡Su guarida vamos a incendiar!». Todos agitaban sus antorchas.

Por suerte, enseguida se les iban a quitar las ganas de cantar.

De pronto, de la hierba empezaron a brotar unas criaturas de aspecto extraterrestre. Entre las sombras, más que insectos parecían monstruos del espacio exterior.

Atraídos por la luz, los bichos gigantes avanzaron hacia los gamberros.

—¡¿Qué es eso, Oliver?! —chilló alguien al verlos.

El cabecilla no pudo contestar. Por desgracia para él, una de las criaturas estaba creciendo justo bajo sus pies. Y, cuando quiso darse cuenta… ¡Estaba cabalgando a lomos de una mariquita colosal! La bestia se encabritó como una yegua salvaje.

—¡Ayuda! —chilló a los demás—. ¡Haced algo!

Pero lo único que podían hacer era correr y chocar contra las patas de las hormigas. Alguien chamuscó con su antorcha al escarabajo y este empezó a perseguir a todos con su cuerno.

A mí solo me faltaba un cubo de palomitas

para disfrutar del espectáculo. Y otro de polillas fritas para Cosmo.

Al fin, Oliver saltó al suelo y rodó por la hierba. Luego todos salieron corriendo tras él entre los árboles. Sus aullidos siguieron resonando un buen rato. Sonreí.

Solo quedaba un problemilla. Bueno, siete. Los insectos gigantes. ¡Seguramente acabarían llegando a Moonville y lo destruirían! A veces, además de la magia, debería usar la cabeza.

Menos mal que la ayuda ya estaba en camino. Alertada por los gritos, Madame Prune acababa de salir de la mansión. Y detrás venían mis compañeros blandiendo sus varitas.

¡Zas! ¡Bang! ¡Fiu! Volaron los rayos y saltaron las chispas. En diez segundos, las criaturas habían vuelto a perderse entre la hierba.

Yo tardé más en explicarles lo que había pasado. Que todo lo había hecho para intentar salvar la mansión. Que había sido una emergencia.

—Ay, Anna —suspiró Madame Prune—. Otra vez has hecho magia delante de todos, has vuelto a usar un hechizo robado y de nuevo has utilizado tu poder para fastidiar. ¿Sabes lo que eso significa?

—¿El qué? —murmuré, arrepentida.

Seguramente solo volvería a usar mi varita para rascarme los pies.

—Que todos nos equivocamos alguna vez —sonrió ella—. Incluso yo.

—O sea, que nos has salvado el trasero —me susurró Marcus—. Gracias, Anna Kadabra… ¡Aunque estás como una cabra!

Fiesta de pijamas voladores

12

Jamás supe si de la mansión saldría humo verde o rojo. Y, la verdad, me importaba dos pimientos... Uno verde y otro rojo. El caso es que al día siguiente no volví al club.

Pero solo porque era domingo. Hasta las brujas descansamos un día a la semana.

¡Sí, Madame Prune quería que siguiera aprendiendo magia! Y hasta me entregó la insignia oficial del club. Era una pequeña luna fosforescente que todos llevaban. Incluso Madame Prune la usaba como broche para cerrar su capa.

Aún la llevaba prendida al pecho cuando me desperté el domingo. Pensaba quedarme en la cama todo el día.

Repito: pensaba. A las diez, mamá llamó a mi puerta.

—¿Qué pasa? —protesté, tapando a Cosmo con la sábana.

—Anna —entró mi madre, muy seria—. Ha venido alguien a verte.

¿Alguien? Por un momento temí que fuese

Oliver. Puede que me hubiera visto la noche anterior. Quizá me había denunciado a la policía. Entonces todos sabrían ya que era una bruja. Seguro que me iban a…

—Es una chica llamada Sarah —dijo mi madre, interrumpiendo mis pensamientos.

Pues mira, casi hubiese preferido a Oliver.

—Bueno, que suba —acepté, saltando de la cama.

Esta vez, por supuesto, Sarah venía sin sombrero, pero sí llevaba algo en la cara que me sorprendió mucho. Y no era un moco. Era algo parecido a una sonrisa.

—Gracias por lo de ayer —musitó, y luego bajó la cabeza—. Y perdón por lo del falso hechizo. Estaba un poco… un poquitín…

—¿Muerta de envidia? —repuse.

—Algo así —confesó—. Es que para mí son importantísimos los estudios de magia. Y trabajo muy duro para ser la mejor. Cuando llegaste tú y descubrí que tenías magia arcoíris…

—Oye, no he venido a quitarte el puesto —le expliqué, encogiéndome de hombros—. Solo soy la especialista en merluzas.

Las dos rompimos a reír, más tranquilas. Sarah miró alrededor.

—Tu habitación es muy… —dijo, pero no supo cómo seguir.

—¿Horrenda? —pregunté—. ¿Anticuada?
¿Más vieja que la pirámide de un faraón?

—Y más que una caverna de trogloditas
—asintió ella—. Pero puedo ayudarte con ella.
Mi hechizo *Vómito Multicolor* te iría muy bien.

—Creía que no podía usar los conjuros de
otra bruja.

—No pueden robarse, pero pueden
compartirse.

Aquella misma noche, Sarah, Marcus y Ángela
entraron en mi cuarto por la ventana. Iban
en pijama y llevaban sus mascotas al hombro.
Ángela lanzó un conjuro de sigilo *Pies de Pluma*
para no hacer ruido.

Marcus nos sorprendió con un hechizo
Torbellino de Bolsillo. Era como si su varita
levantase huracanes en miniatura que

arrancaban el papel de las paredes. Mi cuarto quedó más pelado que una naranja. Luego, ¡a pintar!

El conjuro *Vómito Multicolor* fue el más divertido porque se lanzaba con los dedos y porque, modestia aparte, se me daba muy bien. Disparaba por todas partes chorros de colores

sin acabar de decidirme y sin poner atención al apuntar. Quizá por eso el cuervo de Marcus se volvió amarillo chillón. Creo que el animal me estaba cogiendo manía.

El caso es que el dormitorio quedo chulísimo. A ver cómo se lo explicaba a mis padres al día siguiente. Por si acaso, colgamos un cartel en la puerta con una advertencia: «PROHIBIDO ENTRAR SIN MAGIA».

Después decidimos dar un paseíto por el aire. Marcus despegó en su bicicleta. Sarah, que es más clásica, usa escoba. Ángela cabalga una aspiradora, no me preguntes por qué. Yo cogí mi patinete y les seguí cielo arriba.

La verdad, no entiendo cómo Moonville pudo parecerme feo alguna vez. Es el lugar más mágico y disparatado del mundo.

Incluso aunque tenga entre sus vecinos a un cretino cazabrujas.

—Por cierto —dije a mis amigos—. ¿Creéis que Madame Prune castigará a Oliver por lo que hizo?

—Ni hablar —negó Marcus—. ¡Entonces sospecharía enseguida que su profesora es una bruja!

—Cierto —asintió Sarah—. No puede hacer nada.

—Oh, sí —rio Ángela, con su sapo Globo en la cabeza—. Hay una cosa que sí puede hacer.

—¿El qué? —pregunté.

—¡¡¡Ponerle una tonelada de deberes!!!

Nuestras risas resonaron en el cielo estrellado de Moonville.